神奇校车

水 的 故 事

文：乔安娜·柯尔 [美]　　　图：布鲁斯·迪根 [美]

四 川 出 版 集 团

四川少年儿童出版社

本书由美国学子出版有限公司（Scholastic Inc.）授权出版

版权所有，盗印必究

版权合同登记号

图进字：21-2005-025

图书在版编目（CIP）数据

水的故事／（美）柯尔著;（美）迪根绘；谢徽译.

成都: 四川少年儿童出版社，2005

（神奇校车）

ISBN 7-5365-3459-0

Ⅰ.水... Ⅱ.①柯... ②迪... ③谢... Ⅲ.水－儿童读物 Ⅳ.P33-49

中国版本图书馆 CIP 数据核字（2005）第 044256 号

神奇校车——水的故事　　　文：乔安娜·柯尔(美)　图：布鲁斯·迪根(美)　译：谢徽
Shenqi Xiaoche —— Shui De Gushi

策　　划：颜小鹂
责任编辑：李奇峰　　漆仰平
封面设计：周筱刚
装帧设计：曹雨锋
责任校对：熊向全
责任印制：王　春

出　　版：四川出版集团　四川少年儿童出版社
地　　址：四川成都槐树街2号　邮政编码：610031
电　　话：028-86259237(发行部)　　028-86259192(总编室)　　010-85800316(编辑部)
经　　销：全国新华书店　　　　　　　印　　刷：四川省印刷制版中心有限公司
成品尺寸：210mm×250mm　　　　　印　　张：3
版　　次：2005年5月第一版　　　　印　　次：2006年10月第四次印刷
印　　数：18,001～24,000册
书　　号：ISBN 7-5365-3459-0/P·1
定　　价：10.00元

珍 贵 的 水

水，是人类的生命之源。人类曾经生活在没有石油、没有电力、没有煤炭的年代，却一天也没有生活在无水的世界。人类文明无不发祥于水丰草荣的河泽地域。水的珍贵，也在于人类不可一日无水。目前，世界性的水危机正日益逼近我们。随着人口的急剧增长和工业的迅猛发展，需水量和废水排量在急剧增多，全球80%以上的淡水已经被污染。水的污染造成了全球性的水危机。

提起水污染对人体的危害，使我想起了"饮鸩止渴"这个成语。它的原意是说喝毒酒解渴。现在，占世界人口40%的80个国家和地区正在遭受严重缺水的折磨，这些国家和地区的人们已经没有洁净水可用，更没有洁净水可饮，他们喝着已被严重污染的水，这不正是饮鸩止渴吗？1992年，在巴西首都里约热内卢举行的世界环境与发展大会通过的《21世纪议程》中，有这样的警句："水，不仅维系着地球上的所有生命，并且对于一切社会经济部门都具有生死攸关的重要意义。"

孩子是祖国明天的希望，少儿科普读物关系着一个民族未来的国民素质与生命精神。《神奇校车——水的故事》采用化身游历的手法，将科学道理与生活体验相结合，比如"天上的雨从哪来？""河水怎样变成自来水？"这些出自身边的问题，都能在本书里找到答案。书中弗瑞丝小姐奇特的造型，小朋友们活泼逗趣的对话，浅显易懂的注解，以及新颖活泼的卡通图画都能激发孩子的阅读积极性。希望这本书能对孩子了解水知识、珍惜水资源、走上科学探索之路有所帮助。

蔡玉峨

中国科学院生态环境研究中心研究员

神奇校车

开进中国了!

请搭上神奇校车,跟着神奇的弗瑞丝小姐及其精怪顽皮的学生,历经
一场又一场天翻地覆、惊心动魄又刺激精彩的自然科学大探索……

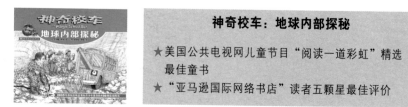

神奇校车:地球内部探秘

★美国公共电视网儿童节目"阅读一道彩虹"精选
最佳童书

★"亚马逊国际网络书店"读者五颗星最佳评价

弗瑞丝小姐要求大家带石头到学校来,可许多同学都忘了。去野外旅行的时机到了!每个人都抓把铲子或电动钻路机开始向下挖。神奇校车钻穿地壳,进到地球中心,又从火山冒出来。从来没有这样采集岩石标本的。下一次,也许同学们就会乖乖地做家庭作业了!跟着最另类的地球科学老师,来趟前所未有的惊奇之旅,直攻地球科学的核心!

神奇校车:在人体中游览

★本书荣获IRP教师精选最佳童书
★ABC最佳童书
★号角出版社书迷童书首选
★纽泽西州年度童书首选

弗瑞丝小姐和她班上的学生正坐在神奇校车上要前往博物馆。但就在他们停下来吃午餐时,灾难发生了。校车不但缩得很小,还掉入一包"奶酪饼"中,整班学生便连人带车被吞了下去!这下子,弗瑞丝小姐的学生只有从人体内观看人体的一切了。他们首先穿越胃、小肠,进入血液;接着又去向心脏、肺和大脑。他们要如何才能离开人体呢?请关紧车窗,扣好安全带,一段让你心跳加速的旅行就要开始了!

神奇校车:漫游电世界

★获"亚马逊国际网络书店"读者五星最佳评价

弗瑞丝小姐和班里学生坐着神奇校车全部都缩小到可以钻进一条电线里,展开了一场"电的冒险之旅"。他们先到发电厂,仔细地参观电是怎么被"发"和"传"出来的;接着混入图书馆的灯泡中,看它如何发亮;再到餐厅的烤面包机里,看它是怎么烤面包的;然后钻到菲比家的电器里,去看电锯怎样锯东西、吸尘器怎么吃灰尘、电视怎么产生影像和声音……最后,再从学校的插座里冒出来,回到教室。

神奇校车:水的故事

★本书荣获美国"波士顿环球报——号角出版社"为非小说类最有价值童书
★"亚马逊国际网络书店"读者五颗星最佳评价

当弗瑞丝小姐宣布这次的校外教学要去自来水厂时,谁也没料到,这趟"水的旅行",竟然会那么惊险刺激!神奇校车一飞冲天,停在一朵白云上,全班学生顿时都变成了大大小小的雨滴,先跌落到山中的小溪里,流浪到水库,又潜进了自来水厂,洗澡、消毒一番后,泡在配水塔里,然后再钻进输水管,一路游到学校的女生厕所,哗啦啦——哗啦啦—— 嘿!全班一起从洗手台的水龙头里喷射出来……

神奇校车：海底探险

★ "全美书商联盟"精选最佳童书
★ 美国《教育杂志》非小说类神奇阅读奖

在弗瑞丝小姐的带领下，神奇校车载着同学们，直接驶入海洋。过程惊险刺激，同学们可以下海去欣赏这些五彩缤纷、形形色色的海洋生物！神奇校车先是驶进沙滩的"沙岸潮间带"，再进入"岩岸潮间带"，接着登上"大陆架的浅海域"，又沿着大陆斜坡往下驶入黑暗无光的"深海生态系"，最后在上升返航途中造访最美丽的"珊瑚礁生态系"。他们认识了各类不同的海洋生态系，了解了许多课本上没有的海洋知识。

神奇校车：奇妙的蜂巢

★ 纽泽西州年度童书首选
★ "全美书商联盟"精选最佳童书

在这一次旅程中，神奇的校车变成了一辆蜂巢巴士，而弗瑞丝小姐和她的学生们则变成了小蜜蜂。他们一定要想办法混进蜂巢内，才能获得关于蜜蜂群体生活的第一手资料。书中将现实、幻想、冒险和幽默融合在一起，带领读者探索蜜蜂的生活，去发现它们是如何寻找食物、建筑巢室、制造蜂蜜和蜂蜡，了解它们照顾后代的方法。昆虫的生活原来是如此复杂多变、神奇美丽。

神奇校车：迷失在太阳系

★ 本书被美国《学校图书馆学刊》评选为年度童书首选
★ "全美书商联盟"精选最佳童书
★ "亚马逊国际网络书店"读者五颗星最佳评价

弗瑞丝小姐班上的学生个个兴高采烈，因为他们要去参观天文馆。谁知竟然休馆！幸好，神奇的老师有办法挽救这一切。校车变成了一艘太空船，直接穿越了大气层，载着弗瑞丝小姐和班上的同学冲向月球和更远的外太空！对弗瑞丝小姐来说，这虽然只是踩上油门踏板的一小步，对神奇校车迷来说，却是扩大想像力的一大步——跟随着神奇校车飞入太空，展开前所未有、最棒的太阳系探索之旅！

神奇校车：追寻恐龙

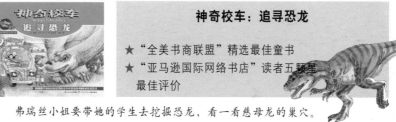

★ "全美书商联盟"精选最佳童书
★ "亚马逊国际网络书店"读者五颗星最佳评价

弗瑞丝小姐要带她的学生去挖掘恐龙，看一看慈母龙的巢穴。但当同学们一到了化石的国度，校车竟化身为时光机器，送他们回到遥远的史前时代——恐龙仍在地球上悠游逍遥的时代。他们认识了各式各样超强的恐龙，还有它们的各种特性、本领，并探讨恐龙灭绝的原因；跟着最神奇的老师走一趟三叠纪、侏罗纪与白垩纪之旅，下载最新的恐龙资讯。快穿上你的迷彩装，这将是你不想错过的户外教学……

神奇校车：穿越飓风

★ "亚马逊国络网路书店"读者五颗星最佳评价

有一股飓风正在热带海洋上空狂吹……一个怪异的黄色物体被卷入飓风涡当中。那是一个热气球……那是一架飞机……那是神奇校车！弗瑞丝小姐班上的同学没有到气象观测站参观，而是亲身从陆、海、空彻底体验了飓风。读者可在这部最畅销、最新版本的科学读物中，学到空气的变化如何影响天气的知识。当你置身飓风之中，风、雨、雷、闪电将呈现新的面貌！

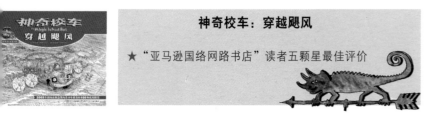

神奇校车：探访感觉器官

★ 本书荣获美国《教育杂志》非小说类神奇阅读奖

对弗瑞丝小姐班上的学生来说，幽默感当然最重要！但在他们最近一次的探险中，他们又学到了视、听、嗅、味、触和其他更多的感觉！当弗瑞丝小姐离开学校时，忘了一件重要的事，新来的校长助理先生冲上神奇校车要去追她，整班的学生也一窝蜂跟上。就在一天将尽之前，他们一路跟踪弗瑞丝小姐，畅游了人的眼睛、耳朵、舌头，甚至跑到一只狗的鼻子里玩儿过。

作者和画家衷心感谢南茜·齐利格和科罗拉多州丹佛市美国自来水协会的技术服务人员，感谢他们为本书的准备提供了帮助。

致雷切尔。
　　——乔安娜·柯尔

献给水专家朱莉阿姨。
　　——布鲁斯·迪根

今年运气真不好，学校最古怪的老师弗瑞丝小姐
来给我们班上课。

我们并不在意弗瑞丝小姐的古怪衣服和鞋子，我们受不了的是她的奇怪举止。弗瑞丝小姐让我们用馊面包来培养绿霉。她让我们做垃圾场的黏土模型，画植物和动物图表，还让我们一周读五本科学著作。

霉是怎样长出来的

阿曼达和阿诺德

听，阿诺德。它在学着说话！

咕咕吗吗呼呼

这是不是说明我们能得"A"？

记住：
明天到自来水工厂去旅行！

益虫
——雪莉

我的格比跑掉了。
——菲尔

我最喜欢的动物
——蒂姆

城市垃圾场
——阿诺德

动物园

动物园

动物园

马戏团

真烦人！

很典型！

别的班到动物园去远足，甚至去马戏团。你猜猜，我们班会上哪儿去旅行？
去参观自来水工厂！

为准备这次旅行，弗瑞丝小姐让我们在图书馆呆了整整一个月。我们必须搞清我们的城市是如何得到水的——直到最后一滴水。

我们还得收集十个关于水的趣事。

我想关于水不会有十个趣事。

也许有四个半。

水的事实1

——汪 达

你身体的大约 2/3 是水组成的。

水的事实2 ——蒂姆

水是自然界中唯一能够以液体、固体和气体形态存在的物质。

液体（水）

固体（冰）

气体（水蒸气）

哦，不！不会是章鱼的衣服吧？

我们假装不认识她。

在停车场，旧校车正在等着同学们。使人惊奇的是，没见驾驶员，倒是弗瑞丝小姐坐在驾驶座上。

在街区的尽头，汽车进入了一个黑暗的隧道。当我们从隧道钻出来时，令人惊奇的事情发生了。汽车变了样，我们也变了样。每个人不知被谁套上了潜水服，连弗瑞丝小姐也一样。

我要我的妈咪。

水的事实 3

——雪 莉

你呼吸的空气中有水分。你看不见它，因为它是一种无形的气体，称做水蒸气。

当水被蒸发时，它就从液体变成了气体，并上升到空气中。

我不懂！

我们升起来了！

似乎只有弗瑞丝小姐没注意到变化。她继续开着车。在桥的中间，汽车开始……

升到……

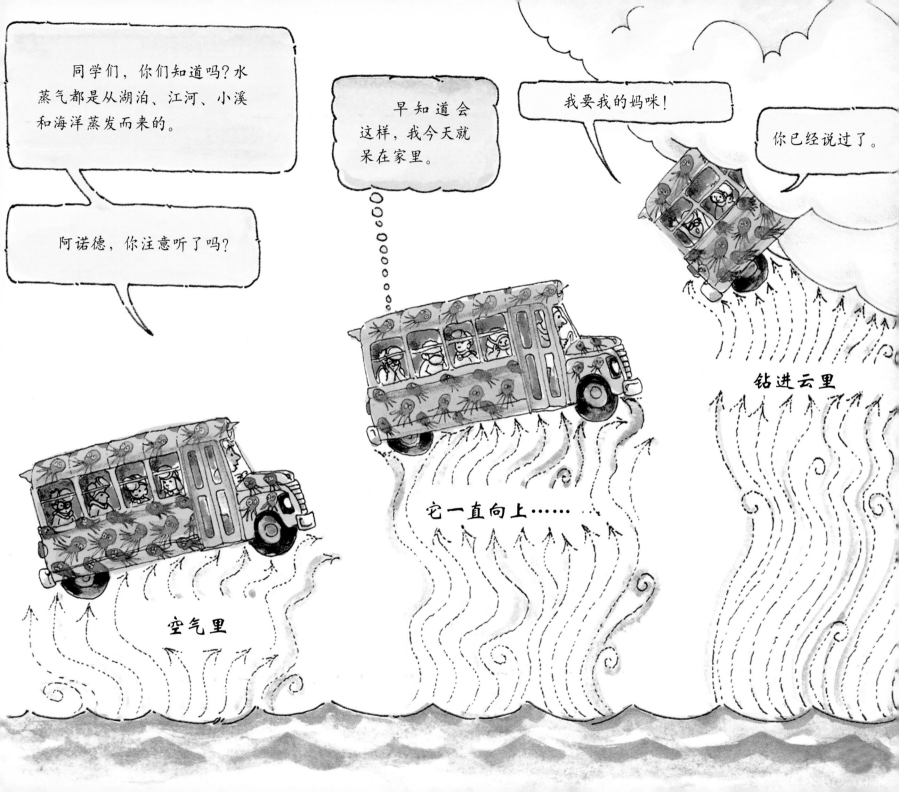

弗瑞丝小姐做了一件最奇怪的事。她让所有的人都走出汽车！大家不愿意，她就威胁说如果不去，就要让我们做多得吓人的家庭作业。

我宁可做家庭作业。

有些小伙伴把头从云里伸出往下看。高山就在脚下！而云每分钟都在升高。

越来越冷了。

在我们身边，水珠开始形成。水珠变得越来越大，我们却变得越来越小。

救命！我们在缩小！

在我这个年龄，我已经够小了。

不久，每个小伙伴都变成了雨滴那么大。准确地说，每一个伙伴都在雨滴里。雨滴开始往下掉，弗瑞丝小姐的这个班在下雨了！

孩子们，别分开。

还算好，我带着我的伞。

哦哦哦！

水库里的水相当脏，我们都粘上了污泥。

"跟我到混合池去。"弗瑞丝小姐喊道。

在混合池中，一块块明矾被加入水中。

明矾成了小颗粒，然后所有的污泥都被这些小颗粒粘住了。

现在都干净了。

大家往上游！

水的事实6

——拉尔夫

在地球上的所有水中，只有不到百分之一的部分是我们可以饮用的淡水。

其余的就是海洋中的盐水或冰川、冰帽中的冻结水。

污泥

"上到沉淀池去！"弗瑞丝小姐命令道。

在那儿，小颗粒沉到底下，干净的水从顶部流走。

现在，我们要去过滤池了。

我们无法通过！

我们会永远留在自来水工厂里了吗？

哎哟！

这就是沙砾过滤池，它会把水中残余的杂物过滤掉。我们就是杂物，我们无法通过。

幸好，弗瑞丝小姐告诉了我们过滤池附近的一条特殊通道。

当水从过滤池里流出来，就会闪着洁净的光亮。

在从过滤池通向贮水罐的管子中，一种叫做氯的化学物质被加入水中。氯会杀死任何残存的病菌。微量的氟化物也被加到水里，这是为了防止孩子们得龋齿。

现在，水穿过了净化系统中的所有路径。我们以为我们班的旅行也该结束了。但弗瑞丝小姐另有主意："每个人都到贮水罐里去。"她喊道。

水的事实7
——莫 莉

干净水不一定是清洁的。它可能带有致病的病菌。

水的事实 8

——阿曼达

在北美，第一根水管是用掏空的圆木做的。今天，水管是用水泥、金属或者塑料做的。

我们还没来得及弄明白发生了什么，就又飞快地钻出了贮水罐，进入到为城市供水的管道。

汽车在哪儿？

跟我来，同学们。

一些较小的管道把我们送到建筑物里，我们又流进墙上的水管。

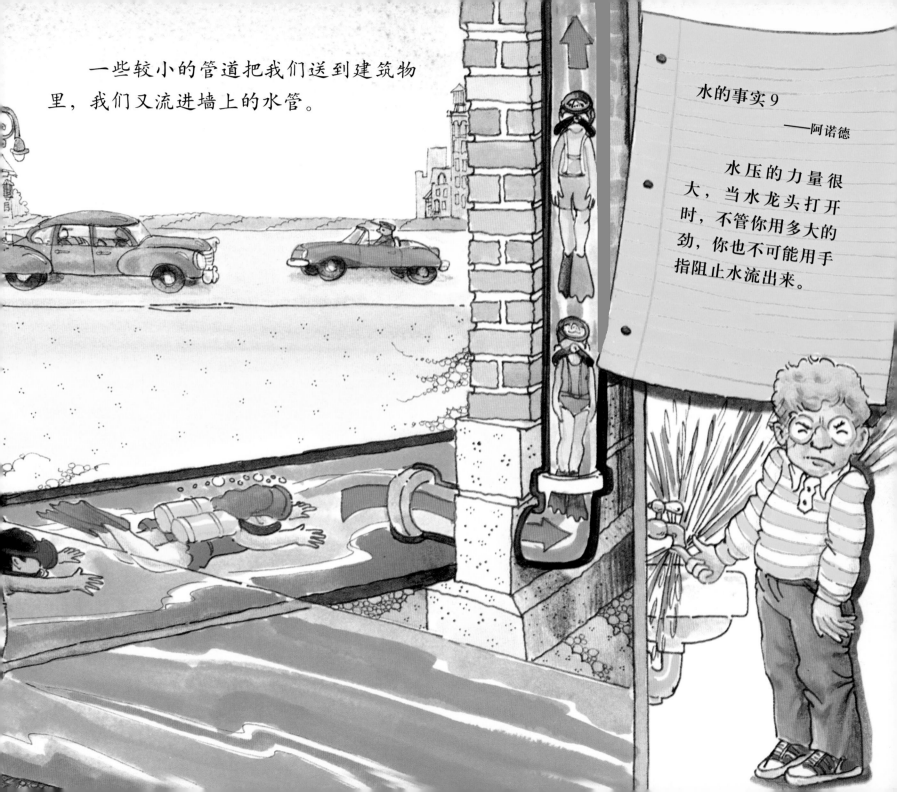

噢噢噢！

当一个七年级的女生打开洗手间的水龙头时，我们飞溅出来。

这楼房正是我们的学校。

我们回来了！

我们又恢复了我们正常的身高！

我们又穿上了普通的衣服！

（当然，除了弗瑞丝小姐。）

回到教室，弗瑞丝小姐的举动就好像什么奇怪的事都没有发生过一样。

她又开始喂养班里的蜥蜴。

她让我们立刻开始做作业；我们必须画一张图表，说明水是如何到达城市里千家万户的。

躺下，姑娘。

当阿诺德画了一张一个小孩在雨滴里面的图画时，弗瑞丝小姐说话了：

"阿诺德，你哪里来的这个疯狂念头？"

7
沙砾过滤掉最后的杂物。

8
在通往贮水罐的水管里，为了孩子们的牙齿坚固，加入了氟化物。还加氯以便杀灭最后残存的病菌。

9
纯净的水被装在贮水罐里。

10
自来水的总管道把水送往城市的大街小巷……

11
……最后送到千家万户。

储水罐

沙砾过滤池

氟化物   氯

水的总管道

这就是我们画出的水的生产图。

这天的晚些时候，我们看见旧校车停在学校停车场。它怎么会在那儿？难道我们只是在想像中穿过了供水系统？

我们能搞清真正发生了什么事吗？

我最后一次看见那辆汽车，它是在云里……我想……

弗瑞丝小姐说我们接下来就要研究火山了。这使我们很不安，像弗瑞丝这样的老师可是什么事都干得出来的啊。

我们这附近不会有火山的，是吗？

火 山

神奇校车

爱校车，爱科学，我们又出发啦！

第二辑简介

神奇校车：把热留住

啊呃！阿诺德的热可可已经凉了。热跑到哪里去了？我们的弗瑞丝小姐肯定有办法！这回，我们和弗瑞丝小姐一起去北极圈，大家不仅知道了怎样让自己暖和起来，还学会了如何把身上的热留住。我们可爱的蜥蜴——里兹，又将如何在北极生存呢？

神奇校车：愉快飞行

怎么样才能飞起来呢？弗瑞丝小姐和班上的同学一起缩小到模型飞机里，他们找到了问题的答案。大家在一只老鹰的启发下，学习了怎样把飞机升上天，怎样在天上一直飞行，怎样驾驶飞机向左、向右转弯。胆小的阿诺德这次竟成了英雄！快来吧，飞翔的感觉真的很棒！

神奇校车：有趣的食物链

今天是海滩日，全班同学都兴高采烈——除了阿诺德和凯莎。他俩忘了做关于海边生物的报告。他们只带了金枪鱼三明治和一些臭的池塘绿藻。这两样东西与海滩日有关联吗？"学习的最好方法就是身临其境。"弗瑞丝小姐对大家宣布。一秒钟后，神奇校车冲入海中！

神奇校车：光与植物

什么地方搞错了？为了寻找答案，弗瑞丝小姐把菲比变成一株豆类植物。班上其他同学被缩小，钻进旁边的一棵植物里，去瞧瞧植物究竟吃些什么才能长大。来！让我们坐着神奇校车去进行一次奇妙的旅行，看看植物体内那间奇妙的食物加工厂，去解开"光合作用"的秘密！

神奇校车：腐烂小分队

今天是"奇特科学项目"日。同学们要从自家的冰箱里找出一种霉变得很厉害的东西，带到学校。大家在做这件事情的时候，觉得很恶心。可当神奇校车开进腐朽的木头里时，大家发现，看似死的东西其实都是活的，而且还很奇妙呢！快来加入我们的"腐烂"冒险吧！

神奇校车：光的魔法

全班同学去看"发光表演"，可表演刚结束，阿诺德和他的表妹珍妮就失踪了！这时，整个戏院也都停电了。难道这家戏院闹鬼吗？紧接着，大家看见舞台上的鬼影子，竟然像极了阿诺德！凯莎知道那肯定是场恶作剧，但究竟是怎么变出来的呢？幸好，弗瑞丝小姐开着神奇校车过来了……

第三辑简介

神奇校车：拜访企鹅

这次，全班同学跟随弗瑞丝小姐去了南极洲——地球的最南端。南极洲的动物可有趣了，人见人爱的企鹅就生长在南极，那里还有冰山、冰棚。啊，对了！这回阿诺德还被一只企鹅妈妈指派了特别任务！快来瞧瞧！

神奇校车：穿越雷电

天气是我们日常生活中特别重要的一部分。可你知道雨是如何产生的吗？你知道雷电是怎么形成的吗？你认识各种各样的云朵吗？有关气象的知识真是丰富多彩！这次和大家一起历险的还有气象星先生，他可有趣了！快跟我们一起去穿越雷电吧！

神奇校车：跟踪昆虫

大家好，我是汪达。我有两只可爱的瓢虫宝宝。有一天，我的两个宝贝失踪了，这可把我急坏了。不过全班同学在寻找它们的过程中，也对昆虫大家庭有了更多的了解。快和我们一起坐着神奇校车去丛林中探险吧！

神奇校车：逃离巨鲨

想不到吧，我们竟然亲眼见过鲨鱼了！我们看见了很多种鲨鱼；见识了它们的超级感官能力；了解了各种鲨鱼的牙齿……这可不是一般的历险，因为阿诺德成了大家心目中的英雄，快跟我一起出游吧！

神奇校车：走进微生物

一说起"细菌"，总让人觉得脏分分的，但它可是微生物大家族的一员呢。这个家族大极了，而且无处不在！你想知道细菌是怎么传播的吗？你想知道发烧是怎么回事吗？来和我们一起变成小小微生物吧！

神奇校车：怒海赏鲸

听说鲸是世界上最大的哺乳动物，我从没想到有一天能那么近地看见它。人们常说的"鲸鱼"到底是不是鱼呢？你认识它们的喷雾吗？唔，还有很多有趣的知识。快跟我们坐着神奇校车去赏鲸吧！

神奇校车：巡航北极

你听说过北极吧？那里有温顺的北美驯鹿，勇猛的麝香牛，有趣的海豹，奇怪的旅鼠，最重要的是，大大的北极熊就生长在那里。这次带我们踏上旅程的可不是普通人物，怎么回事呢？快跟我来！

神奇校车：探寻蝙蝠

蝙蝠是人类研究已久的动物，有关它们的事情和趣闻可真不少。你想了解它们吃什么吗？你想知道它们住在哪里吗？你听说过回声定位？还有很多很多知识，让我慢慢讲给你听。

作者介绍

乔安娜·柯尔（Joanna Cole）做过教师和儿童读物编辑，现在专事写作。

布鲁斯·迪根（Bruce Degen）热爱大自然，已经为孩子们画了几十本图书。

他们创作的《神奇校车》系列丛书，表达了自己对科学的热爱。这套科普故事书，以新颖活泼、好玩易懂的形式，带领孩子们进入浩瀚的科学领域，畅游在地球科学、生物科学、太空科学、气象学、古生物学等学科中。

1991年，《神奇校车》获得了《华盛顿邮报》非小说类儿童读物奖。

网络留言

阿明现在对看书的兴趣越来越大，做妈妈的又有了新烦恼：

他不懂得控制自己，总是要把所有喜爱的书全部看一遍这天才算过得愉快。

他的最爱又很多，全部看一遍会很累的，累了就会大哭大闹，不好转移视线。

最近迷上了《神奇校车》，爱不释手。但上面的内容太丰富、知识点过多，我怕他累着。

——阿明妈妈

《神奇校车》，我已经买了很久了，不过还没有给丁丁看过。一半是觉得里面的内容适合3岁以上的孩子看，另一半是同情我自己，怕丁丁迷上以后，我就闲不了了。呵呵……

很多朋友近期都在和我抱怨，她们的孩子看到校车后，就迷上了，然后每天都要抱着书让妈妈讲。这套书的特点，就是画面似乎有些凌乱，家长看着眼花缭乱，孩子却乐此不疲哦。我打算让丁丁3岁以后再看这套书呢，所以给孩子讲，经验就不足啦。呵呵……

——丁丁爸

就故事而言，这本书就已经非常精彩，难怪很小的孩子都会喜爱。再加上图画古怪而夸张的风格，在细节处，特别是与弗瑞丝小姐的衣着相关的细节处，那种随意变化、漫无边际的幽默趣味，使这套书成为对孩子极具魅力的读物。

适合3岁以上亲子共读，也适合有独立阅读能力的少年读者自由阅读。

——小鼹鼠

连我都喜欢上了，何况小朋友！只是，我被彬彬缠得没有办法看完一本书，他要求我把所有的书都摆在他身边，一本接着一本讲！讲得我呀，昏天黑地，口干舌燥。真想把这东东藏到他找不到的地方。

——彬彬妈妈

终于看到有MM说的这套书了。

这是一套美国著名的科普画书，由乔安娜撰文，布鲁斯绘图。这套书目前引进了10册，包括《在人体中游览》《地球内部探秘》《探访感觉器官》《奇妙的蜂巢》等等。

适合年龄：3-14岁

红泥巴评价：叙事能力10分　画面和谐7分　风格特征10分

说明：非虚构类的图画书要想做到特别好玩不容易，《神奇校车》居然能做到。作为科普读物，《神奇校车》公认是一套内容相当严谨的书，但并不妨碍它同时也是好玩甚至搞笑的图画书。

——弓梦园